Savais-tu?

Les Chauves-souris

Savais-tu?

Les Chauves-souris

Alain M. Bergeron
Michel Quintin

Illustrations de Sampar

ÉDITIONS
MICHEL
QUINTIN

Données de catalogage avant publication (Canada)

Bergeron, Alain M., 1957-

Les chauves-souris

(Savais-tu? ; 2)
Pour enfants de 7 ans et plus.

ISBN 2-89435-186-0

1. Chauves-souris - Ouvrages pour la jeunesse.   2. Chauves-souris - Ouvrages illustrés. I. Quintin, Michel, 1953-   . II. Sampar. III. Titre. IV. Collection.

QL737.C5B47 2001   j599.4   C2001-941387-4

Révision linguistique : Maurice Poirier

Le Conseil des Arts du Canada
The Canada Council for the Arts

La publication de cet ouvrage a été réalisée grâce au soutien financier du Conseil des Arts du Canada et de la SODEC. De plus, les Éditions Michel Quintin bénéficient de l'aide financière du gouvernement du Canada par l'entremise du Programme d'aide au développement de l'industrie de l'édition (PADIÉ) pour leurs activités d'édition.

ISBN 2-89435-186-0
Dépôt légal - Bibliothèque nationale du Québec, 2001
Dépôt légal - Bibliothèque nationale du Canada, 2001

© Copyright 2001
Éditions Michel Quintin
C.P. 340, Waterloo (Québec)
Canada J0E 2N0
Tél.:   (450) 539-3774
Téléc.: (450) 539-4905
www.editionsmichelquintin.ca

0 5 M L 2

Imprimé au Canada

JE DOIS NOMMER TOUTES LES ESPÈCES DE CHAUVES-SOURIS?
OUI... PAR ORDRE ALPHABÉTIQUE!

Savais-tu qu'il y a près de mille espèces de chauves-souris, soit presque le quart de tous les mammifères connus? On les retrouve partout dans le monde sauf dans les régions polaires.

Savais-tu que ce sont les seuls mammifères qui peuvent réellement voler? C'est grâce aux os de leurs mains et à leurs doigts très allongés qui sont recouverts d'un mince repli de peau.

Savais-tu qu'en vol, les chauves-souris émettent continuellement des cris très aigus, inaudibles pour l'oreille humaine? Dès que ces ultrasons rencontrent un obstacle, ils sont renvoyés, captés et analysés.

Savais-tu que c'est grâce à ce système de «radar» fondé sur le principe de l'écho, appelé écholocation, que les chauves-souris peuvent voler et détecter les obstacles et la nourriture dans l'obscurité la plus totale?

Savais-tu que la précision de ce système de détection
permet aux chauves-souris insectivores de distinguer
les battements d'ailes d'un moustique et aux

chauves-souris se nourrissant de poissons, de les repérer aux perturbations qu'ils provoquent à la surface de l'eau?

Savais-tu qu'elles utilisent aussi des sons que l'on peut entendre? Ces cris ont des fonctions sociales comme, par exemple, la reconnaissance par la mère

des cris de son petit qui l'appelle lorsqu'elle rentre au logis, et ce, peu importe la quantité de chauves-souris.

IL FAUT LAISSER LE FROMAGE À LA SOURIS...

Savais-tu que le régime alimentaire des chauves-souris varie selon l'espèce? Elles se nourrissent soit de pollen, de nectar, de fruits, de poissons, de sang, de chair ou d'insectes.

Savais-tu que les chauves-souris insectivores sont très utiles? Certaines colonies consomment au moins 250 000 kilogrammes d'insectes par nuit.

Savais-tu aussi que les chauves-souris pollinivores, nectarivores et frugivores jouent un rôle important dans la pollinisation et le reboisement par l'éparpillement des graines dans leurs déjections?

Savais-tu qu'il existe une chauve-souris bouledogue, une chauve-souris fer à cheval, une chauve-souris à moustaches, une chauve-souris à grandes oreilles, une chauve-souris à face ridée, une chauve-souris à nez

plat, une chauve-souris à
nez en fer de lance…?

Savais-tu que la plus grande chauve-souris du monde
est le renard volant, un frugivore de 1,70 mètre
d'envergure, et que la langue extensible de la

26

chauve-souris glossophage, qui se nourrit de nectar, peut atteindre 7,5 centimètres?

Savais-tu que la plupart des chauves-souris sont
nocturnes? La nuit, elles chassent les insectes, alors
que le jour, elles se reposent, suspendues, la tête en bas.
Elles s'agrippent grâce à leurs doigts munis de griffes.

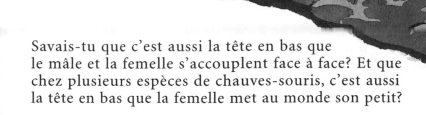

Savais-tu que c'est aussi la tête en bas que
le mâle et la femelle s'accouplent face à face? Et que
chez plusieurs espèces de chauves-souris, c'est aussi
la tête en bas que la femelle met au monde son petit?

Savais-tu que la femelle met généralement au monde
un seul petit qui, pendant les premiers jours de sa vie,
reste continuellement accroché à sa mère, même

lorsque celle-ci vole? Il s'agrippe solidement à la
mamelle grâce à ses dents et à ses doigts.

Savais-tu que dans les régions froides, certaines espèces de chauves-souris vont déménager dans le sud pour passer l'hiver au chaud, alors que d'autres

vont se cacher dans un abri et dormir profondément jusqu'au retour du printemps?

Savais-tu que les chauves-souris qui hibernent, doivent, pour faire durer leurs réserves d'énergie, abaisser leur température corporelle? Jusqu'au-dessous du point de congélation chez certaines.

Savais-tu que les chauves-souris forment, pour la majorité, des groupes mixtes de mâles et de femelles? Certaines de ces colonies peuvent compter

jusqu'à 50 millions d'individus qu'on retrouve dans les grottes, mines, caves, arbres creux, etc.

Savais-tu que, contrairement aux autres chauves-souris, la chauve-souris vampire se déplace avec agilité au sol? Elle peut marcher, courir, sautiller. C'est d'ailleurs

grâce à sa capacité de sauter qu'elle peut décoller du sol et prendre son envol, alors que la plupart des autres espèces doivent se laisser tomber dans le vide.

Savais-tu que les chauves-souris vampires qu'on retrouve seulement en Amérique centrale et en Amérique du Sud se nourrissent de sang? Ce sont d'ailleurs les seuls vertébrés au monde à le faire.

Savais-tu que dès l'âge de deux mois, le jeune vampire est nourri, en plus du lait de sa mère… de sang qu'elle lui régurgite?

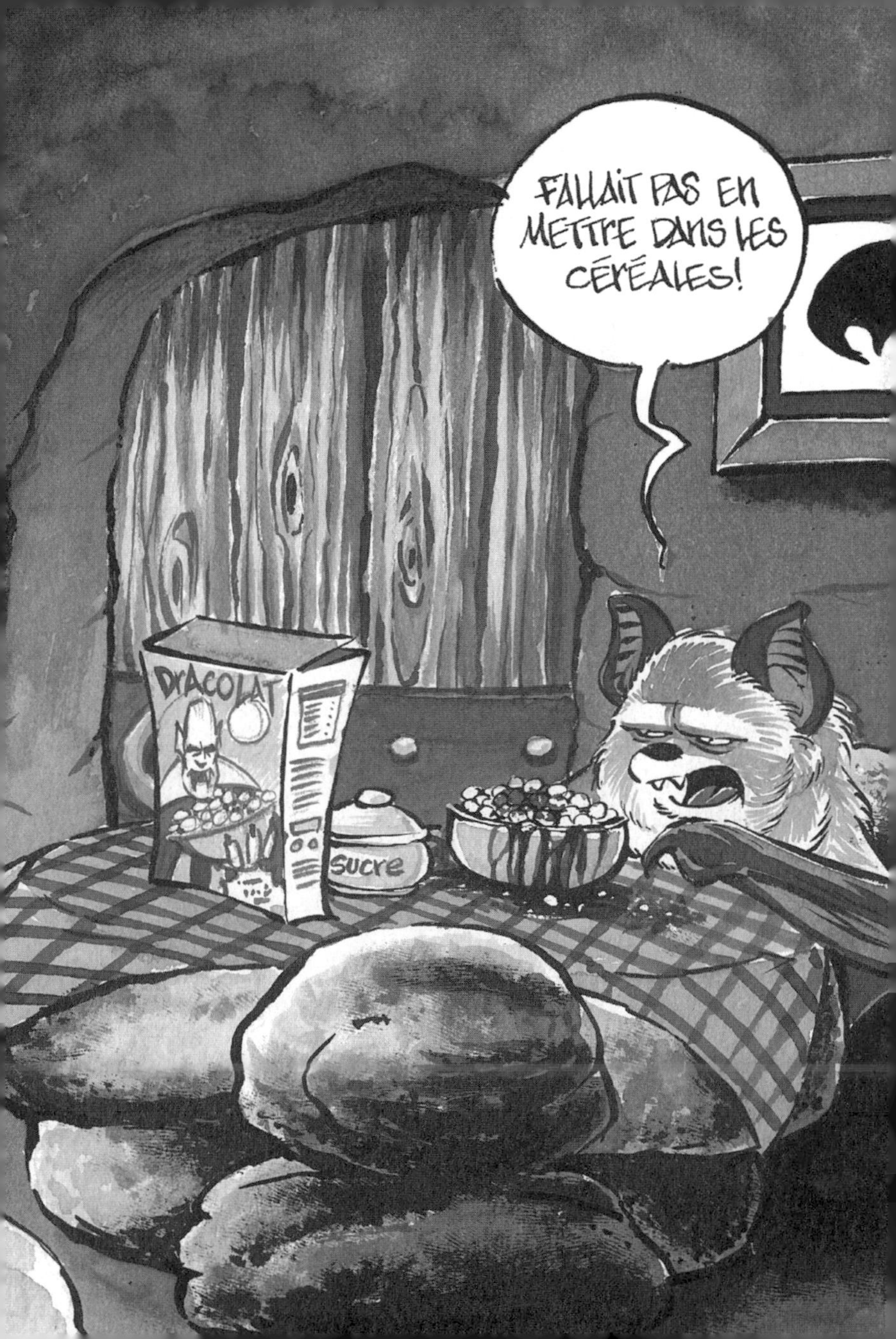
FALLAIT PAS EN METTRE DANS LES CÉRÉALES!
DRACOLAT
SUCRE

Savais-tu que c'est la chaleur du sang qui attire la chauve-souris vampire? Sensible aux radiations infrarouges, son nez repère à plus de 15 centimètres

de distance les meilleurs endroits pour mordre sa victime. Ce sont les endroits les plus chauds du corps.

Savais-tu qu'elle profite du sommeil de sa victime pour lui entailler la peau avec ses dents tranchantes et sucer le sang qui coule de la blessure? La morsure est

sans douleur, l'animal endormi ne se rend généralement compte de rien.

Savais-tu que la chauve-souris vampire se sert de sa langue comme d'une paille pour boire les 20 millilitres de sang dont elle a besoin par nuit? Si elle est privée de

sang pendant 60 heures, la chauve-souris vampire va mourir de faim.

Savais-tu que la survie de chaque membre est assurée par tout le groupe? C'est-à-dire que les chauves-souris vampires qui n'ont pu s'alimenter durant la nuit

seront nourries à leur retour, du sang régurgité par les autres membres du groupe.

Savais-tu que la chauve-souris vampire est très sociale et qu'elle vit en colonies qui comptent le plus souvent de 20 à 100 individus, mais qui peuvent aussi atteindre 5 000 individus?

OUPS... JE ME SUIS TROMPÉ D'ENDROIT...
LES BREUVAGES VIENNENT D'ARRIVER!!!
BOBO

Savais-tu que les chauves-souris vivent en moyenne
5 ans, mais que certaines peuvent atteindre l'âge de
30 ans? Ceci à la condition, bien sûr, de n'avoir

rencontré aucun prédateur affamé (hiboux, serpents, lézards… ou la chauve-souris faux vampire, cannibale à l'occasion).

Savais-tu qu'il est faux de croire que les chauves-souris peuvent s'accrocher aux cheveux? Très mal connues, elles ont longtemps inspiré crainte et dégoût.

Savais-tu que si les chauves-souris vampires propagent la rage, la plupart des chauves-souris sont inoffensives, et même utiles dans certains pays où elles fournissent une viande de qualité et des excréments qu'on utilise comme engrais? (Une seule grotte peut fournir plus de 100 000 tonnes de guano).

Savais-tu que les populations de chauves-souris sont
en déclin partout dans le monde et que plusieurs
espèces se sont éteintes récemment? Tout cela à cause

de la chasse, des pesticides et de la disparition de leur habitat. C'est pourquoi beaucoup de pays les protègent.